S0-BMX-058

es
Sau
lat

Honey Tanberry

Lunatique, égoïste, souvent triste...
elle adore les drames, mais elle sait
aussi se montrer intelligente,
charmante, organisée et très douce.
15 ans

Née à Kitnor
Mère : Charlotte
Père : Greg

Coco Tanberry

Chipie, sympa et pleine d'énergie
elle adore l'aventure et la nature.
12 ans

Née à Kitnor
Mère : Charlotte
Père : Greg

Summer Tanberry

Calme, sûre d'elle, jolie et populaire
elle prend la danse très au sérieux.
13 ans

Sœur jumelle de Skye
Née à Kitnor
Mère : Charlotte
Père : Greg

Cœur salé

D'après le roman de **Cathy Cassidy**

Miss Jungle

Tu as aimé Les Filles au Chocolat ?
Rejoins le club Miss Jungle !

Des informations exclusives, des surprises toutes les
semaines, des cadeaux à gagner, un concours chaque mois,
des sondages...

w w w . m i s s - j u n g l e . c o m

Retrouve-nous aussi
sur les réseaux sociaux :

 mistinguette, la BD

 miss Jungle

D'après le roman intitulé *Les Filles au Chocolat : Cœur Salé* de Cathy Cassidy,
publié en 2013 aux Éditions Nathan, traduit par Anne Guitton.
Ce titre a été publié pour la première fois en 2013 en anglais par Puffin Books (The Penguin Group, London, England)
sous le titre *The Chocolate Box Girls: Bittersweet.* © 2013 par Cathy Cassidy

Adaptation BD : Véronique Grisseaux
Couleurs : DRAC et Reiko
Création du design des personnages : Raymond Sébastien

Yellowhale s.r.l. Creative Studio
Artwork cover : Claudia Forcelloni
Artwork comic pages : Claudia Forcelloni
Ink work : Michela Frare
Lettering : Maryam Funicelli

ISBN : 978-2-822-22229-7

© 2018 Jungle

Jungle est une maison d'édition du groupe Steinkis.

Deuxième édition - Octobre 2018

Imprimé en France par PPO Graphic. Dépôt légal : mars 2018

LA VIE PEUT BASCULER EN UN INSTANT SANS MÊME QU'ON S'EN RENDE COMPTE. COMME CE JOUR OÙ, ASSIS SUR UNE PLAGE AU COUCHER DU SOLEIL JE JOUAIS DE LA GUITARE...

OOOOH ! YEAH. YEAH. YEAAAAH !

SHAY. TU VOIS LE TYPE, PRÈS DE MA MÈRE ?

OUI, POURQUOI ?

C'EST UN DE SES AMIS. IL VIENT DE LONDRES.

MA MÈRE LUI A PARLÉ DE TA MUSIQUE, ET IL A DÉCIDÉ DE VENIR ICI POUR T'ÉCOUTER.

QUOI ?

IL S'APPELLE CURTIS RAWLINS. TU DEVRAIS LUI DIRE BONJOUR.

3

LES SEMAINES PRÉCÉDENTES AVAIENT ÉTÉ MOUVEMENTÉES. UNE ÉQUIPE DE TÉLÉ S'ÉTAIT INSTALLÉE AU VILLAGE POUR TOURNER UN FILM. LA MÈRE DE FINN, NIKKI, EN ÉTAIT LA PRODUCTRICE. TOUS DEUX AVAIENT PASSÉ L'ÉTÉ À TANGLEWOOD. LE TOURNAGE ÉTAIT TERMINÉ. CETTE SOIRÉE SUR LA PLAGE ÉTAIT UNE SORTE DE FÊTE D'ADIEU.

CURTIS EST CHASSEUR DE TALENTS POUR UNE MAISON DE DISQUES : WRECKED RECORDS... TU EN AS SANS DOUTE ENTENDU PARLÉ ?

HÉÉÉ FINN... TU PLAISANTES, LÀ ?

NON. CURTIS EST BIEN CHASSEUR DE TALENTS.

WAOUH...

RÉ... RÉ... RÉPÈTE-MOI CE QUE TU VIENS DE ME DIRE ?

MAMAN LUI A PARLÉ DE TOI. ELLE LUI A ENVOYÉ UNE COPIE DU CD QUE TU M'AS DONNÉ, ET UN LIEN VERS TES ENREGISTREMENTS SUR INTERNET. ET IL A ADORÉ !

C'EST POUR ÇA QU'IL A VOULU TE RENCONTRER ET QU'IL T'ÉCOUTE DEPUIS UNE HEURE. ALORS, QU'EST-CE QUE TU ATTENDS POUR ALLER LUI DIRE BONJOUR ?

BONJOUR, NIKKI !
BONJOUR CURTIS !

SHAY, C'EST BIEN ÇA ?
TU ES DOUÉ TU SAIS.
TU ÉCRIS TES CHANSONS
TOI-MÊME ?

HEU, OUI.

WRECKED RECORDS
A BESOIN DE NOUVEAUX
TALENTS. ET JE TROUVE QUE
TU CORRESPONDS TOUT À FAIT
À CE QUE JE RECHERCHE.

SÉRIEUX ?
MOI ?

OUI, TU AS
UN TRUC EN PLUS.
DE BELLES CHANSONS
AU CHARME DÉCALÉ...
TU AS LE PHYSIQUE IDÉAL.
TU POURRAIS DEVENIR
CÉLÈBRE !

TES BALLADES ROCK,
TES TEXTES DOUX-AMER.
TON LOOK DE SURFEUR...
TU ES UNIQUE. LES GENS
VONT T'ADORER !

HEY, MON
POTE VA DEVENIR
UNE STAR !

MA VIE AURAIT
PU BASCULER
À CET INSTANT.
MALHEUREUSEMENT,
CE N'EST PAS CE
QUI S'EST PASSÉ.
LE PROBLÈME, C'EST
QUE J'AI À PEINE
QUINZE ANS ET
QUE JE SUIS
ENCORE AU LYCÉE.
POUR CURTIS, CE
N'EST PAS GÊNANT
À CONDITION QUE
MES PARENTS ME
SOUTIENNENT.

JE PEUX PASSER CHEZ TOI DEMAIN AVANT
DE REPARTIR POUR LONDRES, COMME ÇA
J'EN PARLE À TES PARENTS.

EUH...
MAIS...

PAPA N'ÉCOUTERA JAMAIS
CURTIS. AVEC SON BOUC,
SES PIERCINGS ET SON
CHAPEAU... AUCUNE
CHANCE !

À QUELLE HEURE JE PEUX PASSER DEMAIN ?

MON PÈRE GÈRE LE CENTRE NAUTIQUE. LE DIMANCHE C'EST UNE JOURNÉE CHARGÉE, MAIS... VOUS POUVEZ PASSER VERS 10H00 À LA MAISON.

COOL ! À DEMAIN ALORS !

OK. J'ARRIVE !

FINN. JE RENTRE, IL SE FAIT TARD.

ÇA NE VA PAS ÊTRE SI COOL QUE ÇA DEMAIN. JE CONNAIS MON PÈRE.

TU NE CROIS PAS QUE TU DEVRAIS L'ANNONCER TOI-MÊME À TON PÈRE POUR PRÉPARER LE TERRAIN ?

TU AS SANS DOUTE RAISON.

J'AI LANCÉ MA BOMBE AU PETIT-DÉJEUNER, APRÈS AVOIR PRÉPARÉ LE FESTIN PRÉFÉRÉ DE MON PÈRE : ŒUFS BROUILLÉS ET SMOOTHIE À LA BANANE SAUPOUDRÉ DE CANNELLE.

COMMENT ÇA, MUSICIEN... N'IMPORTE QUOI ! J'AI BESOIN DE TOI AU CENTRE NAUTIQUE.

NON. C'EST NON. JE NE RECEVRAI PAS CE CURTIS RAWLINS.

C'EST MAL PARTI. PETIT FRÈRE. DÉSOLÉ.

NE T'INQUIÈTE PAS. JE VAIS PARLER À TON PÈRE ET IL SERA LÀ À 10H00.

À L'HEURE DU RENDEZ-VOUS, MON PÈRE FAIT ENTRER NIKKI ET CURTIS, GRÂCE À L'INSISTANCE DE MA MÈRE.

QUOI QUE VOUS VOULIEZ, C'EST NON !

JE LES CONNAIS, LES GENS DE VOTRE ESPÈCE. PEU IMPORTE LE TYPE DE CONTRAT, ÇA NE M'INTÉRESSE PAS. MON FILS NE VEUT RIEN AVOIR À FAIRE AVEC VOUS !

S'IL VOUS PLAÎT, MONSIEUR FLETCHER. JE VOUS ASSURE QUE LA DÉMARCHE DE CURTIS EST ON NE PEUT PLUS SINCÈRE...

JE NE SUIS PAS INTÉRESSÉ.

QUELQUES MINUTES PLUS TARD.

HORS DE QUESTION !

JE NE SUIS PAS CERTAIN QUE VOUS COMPRENIEZ BIEN. SHAY POURRAIT VRAIMENT SE FAIRE UN NOM DANS LE MÉTIER.

WRECKED RECORDS LE PRENDRAIT SOUS SON AILE POUR L'AIDER À DÉVELOPPER SON TALENT.

TOUT ÇA EST RIDICULE. SHAY N'A QUE QUINZE ANS, IL N'A PAS FINI SES ÉTUDES, ET J'AI BESOIN DE LUI AU CENTRE NAUTIQUE. C'EST UNE ENTREPRISE FAMILIALE, AVEC UN VRAI TRAVAIL SANS VOS FICHUES PAILLETTES NI POUDRE AUX YEUX !

PAPA, S'IL TE PLAÎT ! UNE CHANCE PAREILLE NE SE PRODUIT QU'UNE SEULE FOIS DANS UNE VIE.

C'EST NON. POINT FINAL !

RÉFLÉCHISSEZ. IL N'Y A PAS D'URGENCE. VOUS POUVEZ LIRE LE CONTRAT ET VOUS SAVEZ COMMENT ME JOINDRE SI VOUS CHANGEZ D'AVIS.

DÈS LE DÉPART DE CURTIS ET NIKKI, MON PÈRE JETTE LE CONTRAT DANS LA POUBELLE. DANS LA NUIT, QUAND LA PIRE JOURNÉE DE MA VIE SE TERMINE ENFIN, JE LE RÉCUPÈRE POUR LE CACHER SOUS MON MATELAS. IL EST FROISSÉ ET TACHÉ DE THÉ, MAIS JE N'AI PAS L'INTENTION DE RENONCER AUSSI FACILEMENT.

PLUS TARD EN FIN DE JOURNÉE.

JE NE COMPRENDS PAS. PAPA CROIT AU TALENT POURTANT...

IL A CRU EN BEN QUAND IL A INTÉGRÉ À QUATORZE ANS L'ÉQUIPE DE FOOTBALL DE BRISTOL. AVANT D'ÊTRE RECRUTÉ DEUX ANS PLUS TARD PAR SOUTHAMPTON.

MAIS BEN S'EST BLESSÉ ET A DÛ RENONCER À SES PROJETS DE CARRIÈRE EN LIGNE 1. PAPA N'A PAS SUPPORTÉ CET ÉCHEC.

C'EST SANS DOUTE POUR CETTE RAISON QU'IL SE MÉFIE DES BELLES PROMESSES.

ET MAINTENANT. BEN BOSSE À TEMPS COMPLET AVEC PAPA.

MOI JE N'AI PAS DU TOUT ENVIE DE ÇA !

TU DEVRAIS SORTIR AU LIEU DE RESTER ENFERMÉ...

VA T'AMUSER AVEC TES COPAINS !

NON. J'AI PAS ENVIE.

J'AI ARRÊTÉ DE SUIVRE TES CONSEILS QUAND J'AVAIS CINQ ANS...

BEN AVAIT FABRIQUÉ UN MINIKART ET M'AVAIT PROPOSÉ DE L'ESSAYER EN PREMIER.

TU VAS VOIR, ÇA VA ÊTRE GÉNIAL !

C'EST TOI QUI CONTRÔLES LA TRAJECTOIRE. IL SUFFIT DE TIRER SUR LA CORDE POUR TOURNER À DROITE OU À GAUCHE ET POUR RALENTIR.

PRÊT... GO !

AAAAAAAAH !

ALORS JE N'AI RIEN DIT. MÊME QUAND PAPA M'A INCENDIÉ, MÊME QUAND MAMAN A RÂLÉ DEVANT SON MASSIF SACCAGÉ ET MÊME QUAND LE MÉDECIN DES URGENCES A MANIPULÉ MON BRAS AVANT DE LE PLÂTRER.

DEUX JOURS SE SONT ÉCOULÉS DEPUIS LE MOMENT OÙ MA VIE N'A PAS BASCULÉ. FINN ET NIKKI SONT REPARTIS POUR LONDRES AVEC CURTIS. POUR COURONNER LE TOUT, LES COURS ONT REPRIS AUJOURD'HUI.

JE VAIS SÛREMENT RATER MON BREVET ET ARRÊTER LE LYCÉE...

SALUT !

SALUT !

ET J'ENTAMERAI ALORS UNE VIE D'ESCLAVAGE AU CENTRE NAUTIQUE...

... À GRATTER LES COQUILLAGES COLLÉS SUR LES COQUES ET À DONNER DES LEÇONS DE KAYAK AUX GAMINS.

HEY ! C'EST VRAI QUE TU VAS SIGNER CHEZ WRECKED RECORDS ?

C'EST TROP LA CLASSE !

C'EST PAS VRAI. IL Y A EU DES FUITES... MAIS D'OÙ PEUVENT-ELLES BIEN VENIR ?

249

JE NE VOIS PAS DE QUOI VOUS PARLEZ.

S'ILS SAVAIENT QUE CE CONTRAT EN OR DANS UNE GRANDE MAISON DE DISQUE, J'AI ÉTÉ CONTRAINT DE LE REFUSER...

JE SUIS LE PLUS GROS LOSER DE TOUT L'UNIVERS.

APRÈS LES COURS.

AU MOINS ICI, JE N'AI PAS À SUPPORTER LES RAGOTS NI LES REGARDS TRISTES DE CHERRY. JE DÉTESTE QU'ON S'APITOIE SUR MON SORT.

CHERRY ET MOI, Ç'A ÉTÉ LE COUP DE FOUDRE, SANS AUCUNE COMMUNE MESURE AVEC CE QUE J'AI PU ÉPROUVER JUSQUE-LÀ.

LE PROBLÈME, C'EST QUE CHERRY EST LA DEMI-SŒUR DE MON EX, HONEY...

CETTE PÉRIODE A ÉTÉ UN VRAI CAUCHEMAR.

HONEY A HURLÉ, M'A LANCÉ DES OBJETS AU VISAGE, ET AUJOURD'HUI ENCORE, PLUS D'UN AN APRÈS, ELLE ME REGARDE AVEC UNE TELLE FROIDEUR QUE JE SENS DES STALACTITES SE FORMER DANS MES CHEVEUX.

SHAY !

J'AI BESOIN DE TOI. J'AI DES ENNUIS... DE GROS ENNUIS.

HONEY ?

QUOI ?

OK, JE ME PRÉPARE AU PIRE.

QUE SE PASSE-T-IL CETTE FOIS ? INCENDIE, INONDATION, INVASION DE GRENOUILLES ?

VIENS... ASSIEDS-TOI.

NE PLEURE PAS. RACONTE-MOI.

ILS ME DÉTESTENT. JE TE JURE. TOUT ÇA PARCE QUE JE SUIS RENTRÉE UN PEU TARD...

ENFIN... JE NE SUIS PAS RENTRÉE HIER SOIR CHEZ MOI.

14

NON ! JE N'AI PAS FAIT EXPRÈS DE SÉCHER LES COURS, JE NE ME SUIS JUSTE PAS RÉVEILLÉE !

TU TE RENDS COMPTE, MA MÈRE A APPELÉ LA POLICE, COMME SI J'ÉTAIS UNE DÉLINQUANTE !

BIDI BIDI BIDIII

C'EST... EUH... C'EST CHERRY.

BIDI BIDI BIDI

NE RÉPONDS PAS. PAS TOUT DE SUITE, ATTENDS CINQ MINUTES, S'IL TE PLAÎT !

JE SAIS QUE TU NE M'AIMES PAS BEAUCOUP, SHAY, MAIS TU VEUX BIEN FAIRE ÇA POUR MOI ? EN SOUVENIR DU PASSÉ. TU LA RAPPELLERAS PLUS TARD, D'ACCORD ?

MERCI. AVEC TOI AU MOINS JE PEUX PARLER. PERSONNE D'AUTRE NE ME COMPREND. TU ES LE SEUL QUI NE ME JUGE PAS.

SI TU CROIS QUE TU ES LA SEULE À AVOIR PASSÉ UNE MAUVAISE JOURNÉE ?

AH OUI... WRECKED RECORDS... MES SŒURS EN ONT PARLÉ.

ÇA CRAINT. TON PÈRE EST TOUJOURS AUSSI CHARMANT, À CE QUE JE VOIS !

IL NE CHANGERA JAMAIS.

EN GROS, ON A TOUS LES DEUX UNE FAMILLE POURRIE.

ON T'OFFRE LA CHANCE DE TA VIE, CELLE DE CONCRÉTISER TON RÊVE, ET TON PÈRE LA FICHE EN L'AIR. SYMPA !

ON POURRAIT FUGUER, PARTIR TOUS LES DEUX VIVRE À LONDRES. MENTIR SUR NOTRE ÂGE ET LOUER UN APPARTEMENT.

AVEC QUEL ARGENT ?

TU ENREGISTRERAIS UN DISQUE AVEC WRECKED RECORDS, TU FERAIS DES CONCERTS, TU DEVIENDRAIS CÉLÈBRE ET MOI JE SERAIS CRÉATRICE DE MODE.

QUAND ON FUGUE ON NE LOUE PAS D'APPARTEMENT. ON DORT N'IMPORTE OÙ, ON MEURT DE FAIM. ÇA N'A RIEN DE COOL.

C'EST DANGEREUX ET COMPLÈTEMENT INCONSCIENT

OUBLIE ÇA. HONEY. IL VAUT MIEUX RESTER ICI LE TEMPS DE PASSER NOTRE BREVET, ET NOTRE BAC... C'EST LE MEILLEUR MOYEN DE NOUS EN SORTIR.

JE VEUX ALLER EN FAC DE MUSICOLOGIE. À LONDRES OU LIVERPOOL, PEU IMPORTE POURVU QUE CE SOIT LOIN D'ICI. ET TOI TU POURRAIS T'INSCRIRE AUX BEAUX-ARTS.

MES NOTES SONT EN CHUTE LIBRE. ET ON N'IRA PAS À L'UNIVERSITÉ AVANT PLUSIEURS ANNÉES. ON N'A QUE QUINZE ANS, JE NE SUIS PAS SÛRE DE TENIR AUSSI LONGTEMPS !

QU'EST-CE QUI CLOCHE CHEZ NOUS, SHAY ? POURQUOI SOMMES-NOUS SI DIFFICILE À AIMER ?

DANS LE BUS SCOLAIRE LE LENDEMAIN MATIN.

SHAY !

JE N'AI PAS ARRÊTÉ DE T'APPELER HIER SOIR, MAIS ÇA NE RÉPONDAIT PAS.

DÉSOLÉ... MA... MA BATTERIE ÉTAIT MORTE.

ET... JE NE M'EN SUIS RENDU COMPTE QUE CE MATIN.

AH ?

CE SERAIT TELLEMENT PLUS SIMPLE DE LUI DIRE LA VÉRITÉ. MAIS CHERRY NE COMPRENDRAIT PAS QUE J'AI PASSÉ LA SOIRÉE AVEC HONEY.

PAS DE SOUCI. JE ME DOUTAIS QU'IL DEVAIT Y AVOIR UNE EXPLICATION DE CE GENRE. TU N'AURAIS PAS IGNORÉ MES APPELS VOLONTAIREMENT !

HIER SOIR, JE SUIS RESTÉ TARD AU CENTRE NAUTIQUE POUR REPEINDRE UN CANOT ET JE N'AI PAS VU LE TEMPS PASSER.

17

ET AVEC TON PÈRE, ÇA VA ? IL A QUAND MÊME BRISÉ TOUS TES RÊVES.

QUE VEUX-TU QUE JE TE DISE ? MON PÈRE EST UNE PLAIE, CE N'EST PAS NOUVEAU.

EN TOUT CAS, SI TU VEUX EN PARLER, JE SUIS LÀ.

ELLE IGNORE QUE J'AI DÉJÀ VIDÉ MON SAC AUPRÈS DE HONEY. TOUTE LA COLÈRE ET LA RANCŒUR QUE J'ÉPROUVAIS POUR MON PÈRE SONT SORTIES D'UN COUP HIER SOIR. J'AI DES REMORDS. C'EST AVEC MA PETITE AMIE QUE J'AURAIS DÛ EN PARLER.

LA SOIRÉE D'HIER NE COMPTE PAS. JE SUIS AMOUREUX DE CHERRY.

JE SERAIS DINGUE DE TOUT GÂCHER EN RENOUANT AVEC MON EX. DE TOUTE FAÇON, CE N'EST PAS MON INTENTION.

DIRE QUE JE VAIS RESTER COINCÉ DANS CETTE RÉGION ENNUYEUSE PENDANT ENCORE TROIS ANS...

J'EN AI MARRE D'ATTENDRE QUE MA VIE COMMENCE. LE MOMENT EST VENU D'AGIR.

HÉ, TU ES AILLEURS ?

DÉSOLÉ.

SI SEULEMENT JE POUVAIS ÊTRE À DES KILOMÈTRES DE MES PARENTS GRINCHEUX, DE MON GRAND FRÈRE PARFAIT, DE MON EX FOLLE, DE MA COPINE TROP GENTILLE, DU LYCÉE ET DES EXAMENS QUI APPROCHENT.

TU SAIS QUE HONEY A ENCORE FAIT DES SIENNES AVANT-HIER ? ELLE A PASSÉ LA NUIT DEHORS ET A SÉCHÉ LES COURS. ON A CRU QU'ELLE AVAIT ENCORE FUGUÉ.

JE NE TE DIS PAS LA CRISE À LA MAISON. PAPA ET CHARLOTTE SE DISPUTAIENT. SUMMER ET SKYE PLEURAIENT. COCO S'EST ENFERMÉE DANS SA CHAMBRE...

ET COMMENT CROIS-TU QUE HONEY A RÉAGI ? ELLE EST RESSORTIE EN CLAQUANT LA PORTE ET EST RENTRÉE VERS MINUIT.

AH ? ELLE A ENCORE DISPARU ?

J'AI REMARQUÉ QU'ELLE N'ÉTAIT PAS DANS LE BUS...

ON N'A AUCUNE IDÉE DE L'ENDROIT OÙ ELLE A PU ALLER HIER SOIR APRÈS S'ÊTRE ENGUEULÉE AVEC LES PARENTS.

IL NE FAUT SURTOUT PAS QU'ELLE APPRENNE QUE HONEY ÉTAIT AVEC MOI HIER SOIR.

QUELLE IDÉE DE RESTER DEHORS AUSSI TARD ALORS QU'ELLE EST EN SURSIS ! JE NE COMPRENDRAI JAMAIS HONEY.

ON DIRAIT QU'ELLE FAIT TOUT POUR AVOIR DES PROBLÈMES.

ELLE A PEUT-ÊTRE JUSTE BESOIN QU'ON LA LAISSE TRANQUILLE.

À MON AVIS, ELLE NE SE MET PAS UNE SECONDE À VOTRE PLACE... ELLE SOUFFRE TROP POUR PENSER AUX AUTRES.

DIS DONC, TU AS L'AIR DRÔLEMENT AU COURANT DE CE QU'ELLE RESSENT !

IL Y A DE L'ÉLECTRICITÉ DANS L'AIR.

DEPUIS UN AN QU'ON SORT ENSEMBLE, CHERRY ET MOI N'AVONS JAMAIS ÉTÉ AUSSI PROCHES DE LA DISPUTE. ELLE EST EN COLÈRE, JE LE VOIS, ET BLESSÉE AUSSI.

EN PRENANT LA DÉFENSE DE HONEY, JE ME RENDS COUPABLE DE TRAHISON. JE NE PEUX PAS M'EMPÊCHER D'AVOIR PITIÉ D'ELLE. MAIS LA DERNIÈRE CHOSE DONT J'AI ENVIE, C'EST DE ME BROUILLER AVEC CHERRY.

JE N'AI AUCUNE IDÉE DE CE QUE RESSENT HONEY, CE NE SONT QUE DES SUPPOSITIONS. ELLE EST COMME ÇA, ELLE NE PENSE QU'À ELLE.

EXCUSE-MOI. JE SUIS RIDICULE, HEIN ? MAIS C'EST PARCE QUE JE TIENS À TOI.

CE N'EST RIEN. JE NE SUIS PAS DE TRÈS BONNE HUMEUR EN CE MOMENT.

JE VAIS M'ACHETER UNE BARRE DE CHOCOLAT AU DISTRIBUTEUR, TU EN VEUX UNE AUSSI ?

OUI MERCI, C'EST SUPER GENTIL

SALUT !

AH ! SALUT !

JE DÉTESTE CE BAHUT. GRÂCE À MAMAN, LES PROFS NE VONT PLUS ME LÂCHER D'UNE SEMELLE JUSQU'À LA FIN DU TRIMESTRE.

AU FAIT, MERCI DE M'AVOIR ÉCOUTÉE HIER SOIR.

ATTENDS, CHERRY... CE N'EST PAS CE QUE TU CROIS !

JE NE T'AVAIS PAS VUE, MA CHÈRE DEMI-SŒUR !

C'EST ÇA !!!!

J'ÉTAIS EN TRAIN DE REMERCIER SHAY. IL M'A ÉCOUTÉE PENDANT DES HEURES AU CABANON HIER SOIR.

MON CŒUR DÉGRINGOLE DANS MA POITRINE. JE SUIS MAL. VRAIMENT TRÈS MAL.

CHERRY, JE PEUX TOUT T'EXPLIQUER.

INUTILE. JE CROIS QUE J'AI COMPRIS.

ALORS COMME ÇA, TU N'AVAIS PLUS DE BATTERIE ?

LA PROCHAINE FOIS, AVOUE SIMPLEMENT QUE TU N'AVAIS PAS ENVIE DE ME PARLER. SAUF QU'IL N'Y AURA PAS DE PROCHAINE FOIS.

CHERRY, ÉCOUTE...

IL N'Y A RIEN À AJOUTER. POURQUOI DEVRAIS-JE T'ÉCOUTER ? TU N'ES QU'UN MENTEUR !

JE SUIS FORCÉ DE PLAIDER COUPABLE. J'AI MENTI À MA COPINE ET J'AI ÉTÉ PRIS LA MAIN DANS LE SAC. PEU IMPORTE QUE J'AIE MENTI POUR DE BONNES RAISONS, POUR NE PAS L'INQUIÉTER, POUR L'EMPÊCHER DE SE FAIRE DES IDÉES. LE RÉSULTAT EST LE MÊME.

JE NE VEUX PLUS TE VOIR !

GROS NAZE !

IMBÉCILE !

C'EST DE TA FAUTE TOUT ÇA HONEY !

JE NE POUVAIS PAS DEVINER QUE TU LUI AVAIS MENTI À PROPOS DU TÉLÉPHONE.

ET JE SUPPOSE QUE TU NE LUI AVAIS PAS NON PLUS PARLÉ DE NOTRE TÊTE-À-TÊTE. TU AURAIS DÛ TE DOUTER QU'ELLE FINIRAIT PAR ÊTRE AU COURANT.

MERCI HONEY... MERCI...

J'AURAIS DÛ SAVOIR QUE TU VIENDRAIS METTRE TON GRAIN DE SEL DANS MON HISTOIRE AVEC CHERRY.

C'EST OFFICIEL. C'EST LA PIRE JOURNÉE DE MA VIE.

SHAY... JE VIENS DE CROISER CHERRY.

QU'EST-CE QUE TU LUI AS FAIT ? ELLE EST EN LARMES.

IL PARAÎT QUE TU AS EMBRASSÉ HONEY SOUS SES YEUX ?

JE TE PRÉVIENS, SI C'EST VRAI, JE T'ÉTRANGLE.

C'EST FAUX.

TU N'ES PLUS LE BIENVENU CHEZ NOUS. TU AS TROMPÉ HONEY L'ÉTÉ DERNIER AVANT DE LA PLAQUER POUR CHERRY. ET MAINTENANT TU FAIS L'INVERSE !

C'EST QUOI TON PROBLÈME ? ÇA TE PLAÎT DE BLESSER LES AUTRES ?

QUOI ? BIEN SÛR QUE NON !

PLUS TARD DANS LA JOURNÉE, JE VEUX PARLER À CHERRY, MAIS SES AMIES FORMENT UNE SORTE DE MUR PROTECTEUR AUTOUR D'ELLE, M'EMPÊCHANT DE L'APPROCHER. J'ESSAIE LES TEXTOS, JUSQU'À CE QUE SA COPINE KIRA M'INFORME QUE CHERRY A BLOQUÉ MON NUMÉRO.

LAISSE TOMBER. TU NE CROIS PAS QUE TU AS FAIT ASSEZ DE MAL COMME ÇA ?

KIRA JE TE JURE, C'EST UN MALENTENDU.

LES RUMEURS SONT FAUSSES, HONEY ET MOI NE FAISIONS QUE DISCUTER.

ILS ME REGARDENT TOUS, COMME SI J'ÉTAIS UN ASSASSIN.

MÊME MES COPAINS M'ÉVITENT.

IL EST HORS DE QUESTION QUE JE ME METTE À PLEURER DEVANT TOUT LE MONDE.

J'AI ARRÊTÉ DE PLEURER LE JOUR DE MON ACCIDENT DE KART.

DANS MA FAMILLE, LES LARMES SUSCITENT DES COMMENTAIRES CASSANTS DE LA PART DE MON PÈRE...

... DES SOURIRES MOQUEURS DE BEN ET DES REGARDS APITOYÉS DE MA MÈRE.

JE PRÉFÈRE CACHER MA PEINE ET FAIRE COMME SI TOUT ALLAIT BIEN.

CHERRY M'A COMPLÈTEMENT ÉVITÉ.

JE VIENS DE TOUT DÉTRUIRE ENTRE NOUS...

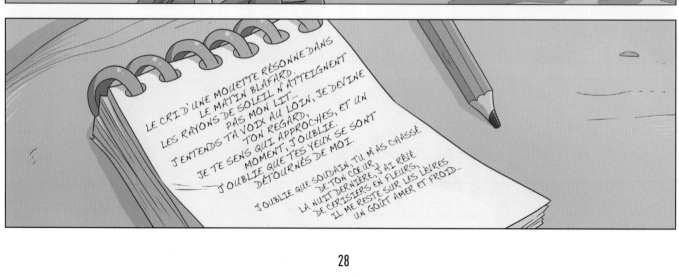

DEUX JOURS PLUS TARD...

IL ME RESTE SUR LES LÈVRES UN GOÛT AMER ET FROID...

C'EST SANS DOUTE LA PLUS BELLE CHANSON QUE J'AIE JAMAIS COMPOSÉE.

DOMMAGE QUE CHERRY NE PUISSE PAS L'ENTENDRE. ELLE COMPRENDRAIT À QUEL POINT JE SUIS DÉSOLÉ.

SI J'EN AVAIS LE COURAGE, JE PRENDRAIS MA GUITARE, J'IRAIS À TANGLEWOOD ET JE JOUERAIS SOUS SES FENÊTRES.

MAIS AVEC LA CHANCE QUE J'AI, SUMMER ET SKYE ME BALANCERAIENT UN SEAU D'EAU SUR LA TÊTE...

J'ENTENDS TA VOIX AU LOIN, JE DEVINE TON REGARD...

LA NUIT DERNIÈRE, J'AI RÊVÉ DE CERISIERS EN FLEURS...

CLAP CLAP

CHERRY ?

CLAP CLAP

29

LE VENDREDI MATIN.

UNIVERSITÉ DE SHEFFIELD ? QU'EST-CE QU'ILS TE VEULENT, CEUX-LÀ ?

C'EST UNE ERREUR, NON ?

NON, CE N'EST PAS UNE ERREUR.

AH BON ?

IL Y A UN TROISIÈME CYCLE TRÈS INTÉRESSANT À SHEFFIELD. IL ME PERMETTRAIT DE COMPLÉTER MON DIPLÔME ET DE DEVENIR PROF DE SPORT.

COMMENT ÇA, DEVENIR PROF ?

J'AI ENVIE D'ENSEIGNER. J'AI TOUJOURS AIMÉ DONNER DES COURS AUX GAMINS DU CENTRE NAUTIQUE. ET ÇA M'A POUSSÉ À RÉFLÉCHIR À CE QUE JE VOULAIS FAIRE DE MA VIE.

TU SAIS DÉJÀ CE QUE TU VAS FAIRE DE TA VIE. TU VAS CONTINUER À TRAVAILLER AVEC MOI AU CENTRE NAUTIQUE, ET PLUS TARD, TU PRENDRAS MA SUITE.

C'EST COMME ÇA UN POINT C'EST TOUT !

PAS POUR MOI.

31

TU SAIS, JE VAIS Y ALLER, À SHEFFIELD.

CLIC

J'EN AI RAS-LE-BOL QUE PAPA DÉCIDE DE MA VIE À MA PLACE ET CONTRÔLE LE MOINDRE DE MES GESTES.

QUAND J'AVAIS TON ÂGE, JE NE SAVAIS PAS COMMENT RÉAGIR. MAIS J'AI GRANDI ET JE SAIS CE QUE JE VEUX.

J'AI TOUJOURS CRU QUE TU ÉTAIS D'ACCORD POUR REPRENDRE LE CENTRE NAUTIQUE. ENFIN, JE SAIS BIEN QU'AVANT DE TE BLESSER, TU VOULAIS DEVENIR FOOTBALLEUR.

LE FOOT, C'ÉTAIT LA PASSION DE PAPA, PAS LA MIENNE. ET JE N'AI JAMAIS ÉTÉ BLESSÉ. L'ÉQUIPE M'A RENVOYÉ CAR JE N'ÉTAIS PAS ASSEZ DOUÉ.

AH BON ?

PAPA A RACONTÉ QUE J'ÉTAIS BLESSÉ PARCE QU'IL NE SUPPORTAIT PAS LA VÉRITÉ, À SAVOIR QUE J'AVAIS ÉCHOUÉ. IL AVAIT HONTE DE MOI.

HÉ, TU VIENS DE DÉPASSER LE LYCÉE !

TU NE VAS PAS EN COURS AUJOURD'HUI... PAPA A FAILLI RUINER MA VIE, JE NE VAIS PAS LE LAISSER RECOMMENCER AVEC TOI !

ON VA À LONDRES... CHEZ WRECKED RECORDS !

QUOI ?

COMME KIDNAPPING, IL Y A PIRE. LA MATINÉE SE TRANSFORME EN ROAD TRIP SUR FOND DE CONFIDENCES FRATERNELLES.

ON AURAIT DÛ SE RÉVOLTER DEPUIS LONGTEMPS. AU FAIT, JE VOULAIS QUE TU SACHES...

... JE SUIS DÉSOLÉ POUR L'HISTOIRE DU MINIKART. JE NE M'ATTENDAIS PAS À CE QUE TU TE CASSES LE BRAS. JE TE PRÉSENTE MES EXCUSES.

C'EST VIEUX TOUT ÇA. JE TE PARDONNE.

HEUREUSEMENT QUE J'AI GARDÉ AVEC MOI LE CONTRAT QUE PAPA A JETÉ À LA POUBELLE.

J'ESPÈRE QUE BEN POURRA SIGNER LE CONTRAT À LA PLACE DE PAPA.

ALLEZ... GO ! JE SUIS AVEC TOI PETIT FRÈRE.

C'EST COOL !

EN ENTRANT DANS LA MAISON DE DISQUE, J'AI L'IMPRESSION DE ME RETROUVER DANS UN RÊVE.

J'AIMERAIS VOIR CURTIS RAWLINS, S'IL VOUS PLAÎT.

NON... MAIS...

TU AS RENDEZ-VOUS ?

IL TE FAUT UN RDV. ON NE FAIT PAS D'EXCEPTION. TU N'AS QU'À NOUS ENVOYER UNE PETITE DÉMO SUR CD.

SI CURTIS ET SON ÉQUIPE ESTIMENT QUE TU AS DU POTENTIEL IL TE RAPPELLERA DANS 2 OU 3 MOIS...

OU JAMAIS.

WRECKED RECORDS BONJOUR.... OUI NE QUITTEZ PAS.

PAS DE PANIQUE. JE M'EN OCCUPE. ADMIRE LE TRAVAIL...

OH, ALLEZ. SOIS COOL ON A FAIT QUATRE HEURES DE ROUTE PARCE QUE CURTIS VOULAIT NOUS VOIR...

JE VOUS L'AI DÉJÀ DIT. IL FAUT UN RENDEZ-VOUS.

MAIS IL M'A DIT DE PASSER QUAND JE VOULAIS.

CURTIS A DÉJÀ PROPOSÉ UN CONTRAT À MON PETIT FRÈRE, IL VA SÛREMENT ÊTRE LE PROCHAIN SUCCÈS DE L'ANNÉE.

OUAIS C'EST ÇA... ILS DISENT TOUS ÇA !

LAISSE TOMBER. TANT PIS. ON A FAIT TOUT LE CHEMIN POUR RIEN.

SHAY FLETCHER ! QUELLE BONNE SURPRISE !

AH... MONSIEUR RAWLINS !

MON PRÉNOM C'EST CURTIS. ALLEZ, VENEZ DANS MON BUREAU.

J'AI VINGT-ET-UN AN, JE PEUX M'OCCUPER DE SHAY, VEILLER SUR LUI ET SIGNER CE QU'IL Y A À SIGNER.

UNE DEMI-HEURE PLUS TARD.

J'AI BESOIN DE L'ACCORD ET DE LA SIGNATURE DE TES PARENTS POUR LE CONTRAT.

MON PÈRE NE VEUT PAS SIGNER ET MA MÈRE N'IRA PAS CONTRE SA VOLONTÉ.

DÉSOLÉ BEN, MAIS TU N'ES PAS LE TUTEUR LÉGAL. IL NOUS FAUT L'ACCORD DES PARENTS.

IL A DU TALENT. VOUS L'AVEZ DIT VOUS-MÊME. VOUS NE POUVEZ PAS CONTOURNER EXCEPTIONNELLEMENT LES RÈGLES ?

SI TON ÂGE NE JOUAIT PAS CONTRE NOUS, RIEN NE ME FERAIT PLUS PLAISIR QUE DE T'ENGAGER, SHAY, MAIS SANS L'ACCORD DE TES PARENTS C'EST IMPOSSIBLE.

CONTINUE À CHANTER ET À COMPOSER, ET REVIENS ME VOIR QUAND TU AURAS DIX-HUIT ANS. OK ?

OUI, D'ACCORD. MERCI.

TU AS UN FRÈRE QUI TE SOUTIENT, NE BAISSE PAS LES BRAS. TU AS DU TALENT.

DÉSOLÉ PETIT FRÈRE, ÇA NE S'EST PAS PASSÉ COMME JE L'ESPÉRAIS.

C'EST MOI QUI SUIS DÉSOLÉ, JE T'AI FAIT PERDRE TON TEMPS... TOUS CES EFFORTS, POUR RIEN.

ÉCOUTE-MOI, QUAND ON VEUT DÉSESPÉRÉMENT QUELQUE CHOSE, IL FAUT TOUT FAIRE POUR L'OBTENIR. NE JAMAIS RESTER DANS SON COIN EN S'AVOUANT VAINCU.

OK, CETTE FOIS ÇA N'A PAS MARCHÉ, MAIS SI TU CONTINUES À Y CROIRE, UN JOUR OU L'AUTRE, ÇA PORTERA SES FRUITS.

ALLEZ, AVANT DE RENTRER ON VA ALLER SE PROMENER AU MARCHÉ DE CAMDEN.

PRENDS-LE, JE TE L'OFFRE.

JE PENSE QUE ÇA PLAIRA À CHERRY... SI UN JOUR JE RESSORS AVEC ELLE.

JE TE LE SOUHAITE.

QUAND NOUS ARRIVONS À LA MAISON, IL EST MINUIT.

C'EST À CETTE HEURE-CI QUE VOUS RENTREZ ?

VOUS ÉTIEZ OÙ ?

SHAY ?
QU'EST-CE QUE
TU FAIS LÀ ?

JE T'EN PRIE,
LAISSE-MOI PARLER
À CHERRY.

HONEY A DISCUTÉ
AVEC CHERRY CET APRÈS-MIDI
ET LUI A RACONTÉ QU'IL NE
S'ÉTAIT RIEN PASSÉ ENTRE
ELLE ET TOI.

ALORS
VOUS N'ÊTES
PLUS FÂCHÉES
CONTRE MOI ?

NON,
ÉVIDEMMENT !

C'EST VRAI ?

OUI ! C'EST NOUS QUI
SOMMES DÉSOLÉES. ON
AURAIT DÛ TE CROIRE.

TU COMPRENDS,
ON AIME BEAUCOUP
CHERRY. C'EST NOTRE
DEMI-SŒUR. ET ON ÉTAIT
FURIEUSES QUE TU
LA FASSES SOUFFRIR.

J'OUBLIE QUE TES YEUX SE SONT DÉTOURNÉS DE MOI. J'OUBLIE QUE SOUDAIN TU M'AS CHASSÉ DE TON CŒUR; LA NUIT DERNIÈRE, J'AI RÊVÉ DE CERISIERS EN FLEURS. IL ME RESTE SUR LES LÈVRES UN GOÛT AMER ET FROID...

DOUCE FLEUR DE CERISIER, J'AI LE CŒUR SALÉ. DIS-MOI QUE TU NE M'OUBLIERAS PAS. DOUCE FLEUR DE CERISIER, J'AI LE CŒUR SALÉ. DONNE-MOI ENCORE UNE CHANCE, REVIENS-MOI...

CLAP CLAP

CLAP CLAP

BRAVO !

WAOUH ! WAOUH ! ELLE EST TROP BELLE TA CHANSON, SHAY !

PAS PLUS D'UNE HEURE DEHORS. OK ? IL EST DÉJÀ PLUS DE MINUIT ET VOUS AVEZ COURS DEMAIN.

OUI PAPA.

JE SUIS DÉSOLÉ...

NON. C'EST MOI. J'AURAIS DÛ TE FAIRE CONFIANCE...

43

NOUS NOUS ÉLOIGNONS DE LA MAISON AU CAS OÙ DES DEMI-SŒURS TROP CURIEUSES SERAIENT EN TRAIN DE NOUS ESPIONNER. NOUS DESCENDONS ENTRE LES ARBRES JUSQU'À LA ROULOTTE DE GITANS.

JE NE VEUX PLUS JAMAIS TE PERDRE, QUOI QU'IL ARRIVE.

ÇA ME TOUCHE QUE TU M'AIES ÉCRIT UNE CHANSON. ELLE EST MAGNIFIQUE.

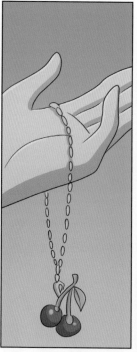

MERCI. TU ES TELLEMENT GENTIL, ATTENTIONNÉ ET GÉNÉREUX...

C'EST TOI QUI ES MAGNIFIQUE !

C'EST POUR TOUTES CES RAISONS QUE JE T'AIME.

JE ME MOQUE D'AVOIR VÉCU LES PIRES JOURNÉES DE MA VIE, PARCE QUE JE SAIS QUE TOUT VA S'ARRANGER. ET QUE ÇA SERA ENCORE MIEUX QU'AVANT.

JE VOUDRAIS QUE CE BAISER DURE ÉTERNELLEMENT. SES LÈVRES ONT LE GOÛT DU BONHEUR.

QUELQUES JOURS PLUS TARD...

PFFF, PAPA M'A PUNI À CAUSE DE L'AUTRE SOIR. IL M'A PRIVÉ DE SORTIES, D'INTERNET ET DE PORTABLE JUSQU'À NOËL

IL ABUSE... MAIS JE M'EN FICHE, JE SUIS AMOUREUX.

ELLE EST TROP BELLE TA CHANSON "CŒUR SALÉ" !

ELLE EST GÉNIALE !

?

MAIS COMMENT CONNAISSENT-ILS MA CHANSON ?

DIFFICILE DE PASSER À CÔTÉ. TA POPULARITÉ EST EN TRAIN DE CREVER LE PLAFOND.

TOUTES LES FILLES SONT FOLLES DE TOI, PETIT VEINARD !

VISIBLEMENT, TU AS TROUVÉ UN MOYEN DE TE CONNECTER DANS LE DOS DE TON PÈRE. TA PAGE PERSO EST MISE À JOUR QUOTIDIENNEMENT...

MAIS... JE NE COMPRENDS PAS. CE N'EST PAS MOI QUI AI CRÉÉ CETTE PAGE.

REGARDE, TON CLIP EST GÉNIAL. TU AS DES CENTAINES DE LIKES.

C'EST LA VIDÉO QUE HONEY A TOURNÉE SUR LA PLAGE...

LE SOIR DANS LE BUS.

C'EST TOI, CHERRY QUI AS POSTÉ LA VIDÉO DE "CŒUR SALÉ"?

NON. ET PEU IMPORTE. CE QUI COMPTE, C'EST QU'UN MAX DE GENS LA VOIENT... ET... QUI SAIT ?

CHERRY... TU PARLES TROP !

UN PEU DE PATIENCE. SI ÇA DOIT ARRIVER, ÇA ARRIVERA.

MAIS QU'EST-CE QUI VA ARRIVER ? QUELQU'UN PEUT ME RÉPONDRE ?

HI HI HI !

JE SUIS SÛRE QUE C'EST HONEY QUI A POSTÉ MA VIDÉO.

C'EST QUOI CE COMPLOT ?

LE LENDEMAIN, MON FRÈRE QUITTE LA MAISON POUR L'UNIVERSITÉ DE SHEFFIELD. IL ENTASSE SA VALISE ET QUELQUES CARTONS DANS SA PETITE VOITURE. BEN ME SERRE DANS SES BRAS ET ME DIT QU'IL SERA TOUJOURS LÀ POUR MOI. AU MOMENT OÙ IL MONTE DANS SA VOITURE, PAPA S'AVANCE VERS MON FRÈRE, L'AIR SOMBRE ET LUI DIT : " J'ESPÈRE QUE TU NE REGRETTERAS PAS TA DÉCISION. À MON AVIS, TU COMMETS UNE GRAVE ERREUR". PUIS, QUAND LA VOITURE S'ÉLOIGNE, J'ENTENDS PAPA MURMURER : "JE SUIS FIER DE TOI, BEN."

TROIS JOURS PLUS TARD.

?

QU'EST-CE QUI SE PASSE ? IL Y A UN PROBLÈME ?

AU CONTRAIRE ! ON T'APPORTE DE BONNES NOUVELLES.

NOUS AVONS DISCUTÉ AVEC TES PARENTS CES DERNIERS JOURS. ET NOUS PENSONS AVOIR ABOUTI À UN COMPROMIS. BIEN SÛR, IL FAUT QUE TU SOIS PARTANT...

PARTANT POUR QUOI ?

J'AI VU LA VIDÉO DE "CŒUR SALÉ" SUR INTERNET. C'EST LA MEILLEURE CHANSON QUE TU AIES JAMAIS ÉCRITE. JE L'AI TROUVÉE BOULEVERSANTE. ET PLUS JE L'ÉCOUTAIS, PLUS JE ME DISAIS QU'ELLE SERAIT PARFAITE POUR...

POUR ?

POUR LE FILM QU'ON A TOURNÉ CET ÉTÉ ICI *. ELLE COLLE PARFAITEMENT AU SCÉNARIO. SI TU ES D'ACCORD, NOUS AIMERIONS L'UTILISER, CONTRE RÉTRIBUTION, BIEN ENTENDU.

AH, JE COMPRENDS POURQUOI LES FILLES GLOUSSAIENT DANS LE BUS L'AUTRE JOUR. C'ÉTAIT ÇA LA SURPRISE.

ATTENDS... TU ES D'ACCORD PAPA ?

JE DOIS RECONNAÎTRE QUE C'EST UNE OFFRE INTÉRESSANTE.

* VOIR BD TOME 3 : CŒUR MANDARINE.

46

ÇA N'A RIEN À VOIR AVEC UN CONTRAT DANS UNE GRANDE MAISON DE DISQUE, MAIS ÇA TE PERMETTRA DE FAIRE UN PREMIER PAS DANS LE MILIEU, EN DOUCEUR.

JE VOIS UNE ÉTINCELLE DE FIERTÉ DANS LES YEUX DE PAPA ET MAMAN. DANS UNE FAMILLE, IL N'EST JAMAIS TROP TARD POUR REPARTIR À ZÉRO.

DANS LA SOIRÉE...

HONEY !

JE VOULAIS TE REMERCIER.

DE QUOI ?

C'EST TOI QUI AS POSTÉ LA VIDÉO SUR INTERNET, NON ?

JE N'Y SUIS POUR RIEN !

BEN VOYONS !

GRÂCE À TOI JE VIENS DE SIGNER UN CONTRAT AVEC LA MÈRE DE FINN. MAIS J'IMAGINE QUE TU ES DÉJÀ AU COURANT ?

ET TU DOIS SAVOIR AUSSI QUE JE ME SUIS RÉCONCILIÉ AVEC CHERRY.

OUI... ET TU DEVRAIS ALLER LA REJOINDRE. TU SAIS CE QUI ARRIVE QUAND TU TRAÎNES AVEC MOI !

Petits roulés salés

Il te faut :

-une pâte feuilletée
-3 tranches de jambon
-du ketchup
-du gruyère râpé

1 : Déroule ta pâte feuilletée.

2 : Étale du ketchup sur toute la surface de la pâte, dispose ensuite les tranches de jambon, puis recouvre l'ensemble d'une fine couche de gruyère râpé.

3 : Roule ta pâte sur elle-même.

4 : Fais cuire le rouleau obtenu au four, pendant 15 minutes, à 220 degrés.

5 : Coupe ton rouleau en fines tranches.

C'est prêt !

Cherry Costello

Timide, sage, toujours à l'écart
elle a parfois du mal à distinguer
le rêve de la réalité.
14 ans

Née à Glasgow
Mère : Kiko
Père : Paddy

Skye Tanberry

Avenante, excentrique, indépendante
et pleine d'imagination.
13 ans

Sœur jumelle de Summer
Née à Kitnor
Mère : Charlotte
Père : Greg